Du schaffst es

Texte und Fotografien
von Kristiane und Volker Wybranietz

arsEdition

So manches

ungute Gefühl

in der Magengegend

löste sich später

ganz von selber auf,

war nur körperlicher Ausdruck

unserer Anspannung,

die schnell nachlässt,

wenn wir sagen können: »Geschafft!«

Star Erkennen wir

unterwegs,

kurz nach dem Start,

mittendrin

oder fast am Ende,

dass weder Aufgabe

noch Ziel uns entsprechen,

ist es ratsam,

die Pläne zu zerknüllen

und neu zu beginnen.

Ziel

Der Mut zu

ungewöhnlichen

Wegen und

Methoden

birgt die Lösung

von Problemen,

die unlösbar erscheinen.

Abstand

Einsatz ist gut,

aber innehalten und

Abstand gewinnen

sind ebenso notwendig,

sonst vergraben wir uns

zu tief in unser Tun,

werden verbohrt

und verlieren den

notwendigen Blick

von außen.

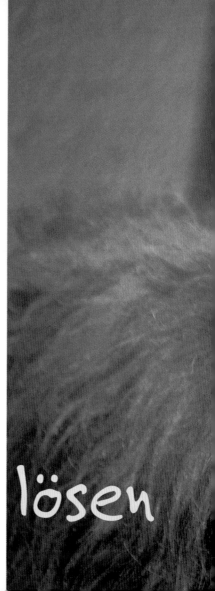

Ratlos

    dreinzublicken

hat

noch nie

Hindernisse beiseite geschafft,

    noch nie

    Probleme gelöst.

Probleme lösen

Zukunft

Der Weg zum Ziel

wie das Ziel

selbst

sind oft anfangs

nicht ganz klar

ersichtlich,

liegen immer ein wenig

im Dunst der Zukunft.

Doch je näher wir kommen,

umso mehr löst sich der Schleier auf.

Wir müssen nicht
immer die Sterne oder
das Blaue vom Himmel
holen wollen,

das Ersehnte

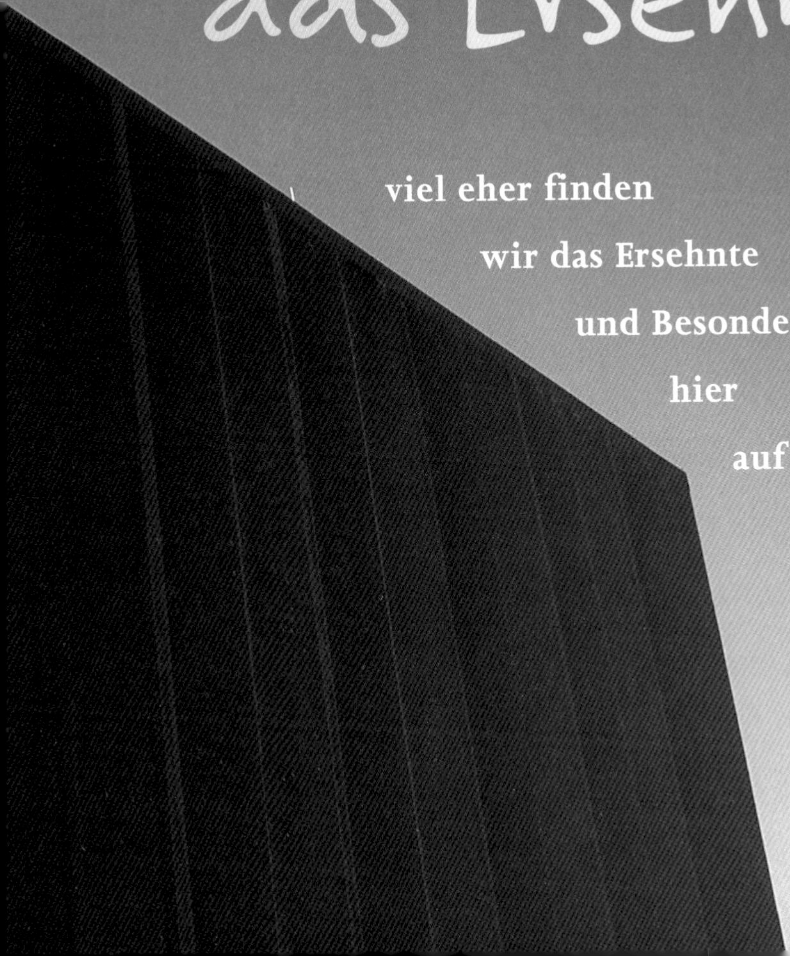

viel eher finden

wir das Ersehnte

und Besondere

hier

auf Erden.

Ist ein
Streckenabschnitt
im Leben auch
steinig,
mühselig und
voller Hindernisse,

er hat doch seinen Sinn,
denn wir werden ihn
meistern und gestärkt
– zuweilen auch klüger –

weitergehen.

Sinn

Unabhängigkeit, Souveränität

und Selbständigkeit

sind wertvolle Attribute.

Es gibt jedoch

Situationen im Leben,

wo wir alleine nicht

klarkommen

und es notwendig ist,

die Hilfe anderer

zu suchen und anzunehmen.

So mancher Weg
scheint weit und dunkel
und ins Ungewisse zu führen.

Wie wichtig ist es,
immer wieder Zuversicht zu
haben und sich selbst
zuzuflüstern:
»Du schaffst das schon!«

Zuversicht

etwas wagen

Wagen wir uns nicht
einmal auf die Zufahrt,
geschweige denn
zum Eingangsportal,

wie wollen wir jemals erfahren,
was drinnen auf
uns wartet?

Verweigern wir zu oft
den Eintritt aus Angst und
Vorsicht, heißt unser Schicksal
»draußen vor der Tür«.

Zeit

Was viel
im Einsatz ist und
stark beansprucht wird,
verschleißt zwangsläufig
mit der Zeit.

Einiges kann man ersetzen
oder erneuern,
anderes hingegen ist
irreparabel.

Es ist wichtig, um diesen Unterschied
zu wissen.

Manchmal

ist es nur

der eigene Schatten,

der uns hemmt und

hindert,

tatkräftig auf

neue Bedingungen

und Herausforderungen

ein- bzw. zuzugehen.

forderung

Hoffnungen

Zuweilen müssen
wir alle Hoffnungen
auf ein Ziel schwimmen lassen.

Das heißt aber
noch lange nicht,
alle Hoffnungen aufzugeben,

**denn es gibt immer noch
andere Ziele,
für die der Blick nur zeitweise versperrt ist.**

Es ist keine Last zu schwer,

keine Gefahr zu groß,

keine Mühe zu viel,

kein Umstand zu widrig,

wenn der Motor,

der uns treibt,

stark genug

ist.

Liebe zum

Beispiel.

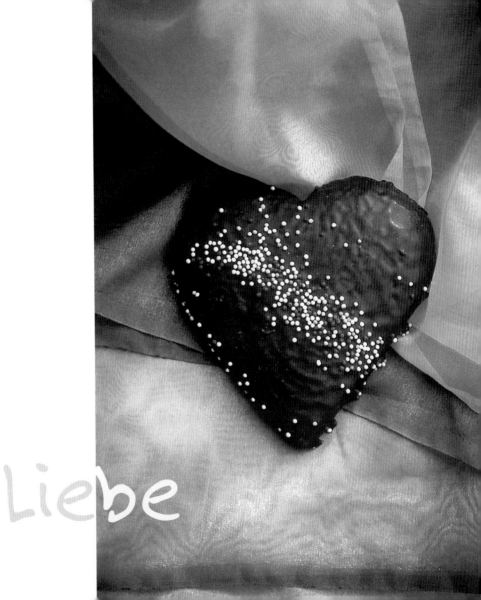

Liebe

Bei allen Wünschen,

allem Streben, aller Hoffnung

und Betriebsamkeit

brauchen wir einen Ausgleich,

der uns Selbstvergessenheit beschert.

Ausgleich

Zuweilen scheint

es ewig zu dauern,

bis unsere Mühen und

Anstrengungen

          endlich Töne hervorbringen.

Die allerdings sind dann

nach diszipliniertem Üben

über lange Zeit

besonders

klangvoll.

klangvoll

Wünsche

Wie sicher,

wie clever,

wie gut geplant und

   durchdacht auch immer:

      Brauchen wir nicht alle

      zur Erfüllung unserer Wünsche,

      zum Gelingen unserer

      Bestrebungen

      eine Portion GLÜCK?

Lebenseinstellung

Es ist

auch eine Frage

der Lebenseinstellung,

ob man,

wenn man im Regen steht,

weinerlich verharrt

wie der sprichwörtlich begossene Pudel

oder lachend und erfrischt

den Dingen des Lebens

entgegengeht.

Sonne

Von dunklen Phasen
wird niemand
verschont,

doch bleibt der Trost,
dass die Sonne
über der Wolkendecke
schon darauf lauert,
wieder in unser Leben
zu strahlen.

Bis dahin muss das
eigene innere Licht reichen,
um nicht in der Finsternis
verloren zu gehen.

Um reiche Ernte

einzufahren,

bedarf es

vielerlei Zutaten:

Kompetenz,

Pflege und

Beharrlichkeit –

außerdem darf man

den rechten Zeitpunkt

nicht verpassen.

Ernte

Es ist

hilfreich

zu glauben,

dass ein Schutzengel

seine Flügel wie Glocken

über uns breitet.

Doch in erster Linie

sollten wir

uns selbst vertrauen.

Vertrauen

In gleicher
Ausstattung
erschienen:

ISBN 3-7607-1751-9   ISBN 3-7607-1762-4   ISBN 3-7607-1752-7

ISBN 3-7607-1763-2   ISBN 3-7607-1780-2   ISBN 3-7607-8408-9   ISBN 3-7607-1792-6

ISBN 3-7607-1806-X   ISBN 3-7607-1807-8   ISBN 3-7607-1823-X   ISBN 3-7607-1824-8